SNUF EN DE GEHEIME SCHUILPLAATS